De scha
Loek Le

Monique van der Zanden
met tekeningen van Mariella van de Beek

 Zwijsen

Meeuw

krant

Loes

De krant

leeuwtje

oom Bob

Artis

tuin

boek

Een nieuw leeuwtje

Meeuw en Loes zijn bij oom Bob.
Pap en mam zijn een week weg.
Loes leest de krant.
'Meeuw!' roept ze.
'Ken je Artis?
Dat is niet ver van hier.
Er is daar een nieuw leeuwtje!
Wat lief ... kijk eens!
Ik wil er naartoe.'

Loes tikt op de knie van oom Bob.
'Oom Bob,' zegt Loes.
'Gaan we naar Artis?
Er is een nieuw leeuwtje!
Kijk eens, wat lief.'

Oom Bob knikt.
'Heel lief,' zegt hij.
'Maar we gaan er niet naartoe.
Artis is duur.
Ik heb geen kist goud in de tuin!'

Oom Bob pakt een boek.
'Dit is niet zo duur,' zegt hij.
'En ook heel leuk.
Lees maar eens.'

3

Meeuw kijkt sip.
Loes zucht.
'Ja, oom Bob,' zegt ze.
'Leuk.'

Meeuw kijkt naar het boek.
'De schat van Loek Leeuw,' leest hij.
Meeuw trekt een zuur gezicht.
'Loek Leeuw kan wél naar Artis.
Die heeft een schat!'

Loes schiet in de lach.
Ze wijst op een plaat.
'Dat weet je niet.
Kijk, een gevecht!
Dit is Loek Leeuw.
Maar wie is die man?
Hij pikt de schat!
Lees eens voor.'

De schat van Loek Leeuw

Meeuw leest:

Loek Leeuw vaart op zijn schip.
De wind blaast het zeil bol.
'Snel,' roept Loek Leeuw.
'Snel, daar komt Pier!
Pier wil mijn schat!'

Het schip van Pier vaart vlug.
Het haalt Loek Leeuw in.
Pier pakt een touw.
Hij springt ...
Het touw zwiert naar Loeks schip.
Pier ploft op het dek!

Loek Leeuw trekt zijn zwaard.
'Je wilt mijn schat,' schreeuwt hij.
'Maar je krijgt hem niet!'
Pier lacht gemeen.
'Dat zullen we eens zien.'

Pier zwaait met zijn zwaard.
Hij mikt op Loek Leeuw.
Maar Loek Leeuw is vlug.
Hij springt uit de weg.
Dan hakt hij erop los!

Wat een gevecht!
Het zwaard van Pier flitst.
Loeks zwaard giert door de lucht.
Pier schreeuwt.
Loek springt dol om hem heen.

'Pak aan!' brult Loek Leeuw.
Zijn zwaard raakt Pier.
Pier valt op het dek.
Er zit een snee in zijn been.
Bloed drupt eruit.
'Stop!' gilt Pier.

Loek Leeuw lacht ruw.
'Zie je wel,' spot hij.
'Die schat is van mij!
Ga weg, Pier.
Ik wil je nooit meer zien.'

Pier hinkt naar het touw.
Hij zwiert naar zijn schip.
De wind blaast het zeil bol.
Weg vaart Pier.
Loek Leeuw kijkt hem na.

'Wat een dief,' zegt Loek Leeuw.
'Wacht maar.
Geen mens krijgt mijn goud!
Ik ga aan land.

Daar verstop ik de kist.
De schat is van mij!'

Waar vaart Loek Leeuw naartoe?
Waar verstopt hij zijn schat?
Dat is een geheim ...

Meeuw slaat het boek dicht.
Loes geeft een gil.
'Er valt iets uit, Meeuw.
Wat is dat?'

Een kaart!

Op het gras ligt een wit vel.
Het viel uit het boek.
Loes raapt het op.
'Het is een schatkaart!' zegt ze.

Loes wijst naar de kaart.
'Kijk maar, het staat erop:
schatkaart.
En kijk, een kruis.
Daar ligt vast de kist goud!'

Meeuw slikt.
Hij tikt op de schatkaart.
'Die boom ...,' zegt hij.

Er staat een boom op de kaart.
Die lijkt net een heks.
De kruin is net een bos haar.
Het zit flink in de war.
Die tak lijkt een neus ...

'Ik ken die boom,' zegt Meeuw.
'Die staat in het park!'

Meeuw en Loes rennen naar het park.
Bij de boom staan ze stil.
'En nu?' vraagt Loes.

Meeuw pakt de schatkaart.
Hij wijst naar een leeuw.

'Bij de boom staat een één.
Bij de leeuw een twee.
Je moet van de boom naar de leeuw.
Maar hoe?
Dat staat er niet!'

Loes stampt met haar voet.
'Een leeuw in het park!' schreeuwt ze.
'Dat kan niet!'

'Wacht,' zegt Meeuw.
'Ik klim in de boom.
Dan kan ik meer zien.'

Meeuw klimt heel hoog.
De kruin schudt.
Een tak kraakt ...
'Pas op,' roept Loes bang.
'Val er niet uit!'

Maar Meeuw valt niet.
Hij klimt naar de top.
Daar kijkt hij rond.
Hij roept iets.
'Wat zeg je?' vraagt Loes.
'Ik zie een leeuw!' roept Meeuw.

Meeuw laat zich zakken.
Hij springt op de grond.
Loes geeft hem een duw.
'Je liegt!' zegt ze boos.
'Niet waar,' lacht Meeuw.
'Kom maar mee!'

Meeuw rent door het park.
Hij stopt bij een brug.
Op de brug zit een ... leeuw!
'Hij is van steen,' roept Loes uit.
Nu lacht ze ook.

'Kijk op de kaart,' zegt Meeuw.
'Bij de leeuw staat een pijl.
Die wijst naar een put.'

'Bij de put staat het kruis,' zegt Loes.
'Daar is de schat!'

put

touw

pijl

schatkaart

school

stip

zandbak

heg

kruis

Een schat in de put?

'Ik weet geen put,' zegt Meeuw.
'Ik ook niet,' zegt Loes.
'Maar het is die kant op!'

Loes en Meeuw rennen door het park.
Maar plots staat er een muur.
Recht voor hun neus!
'We kunnen er niet door,' zegt Meeuw sip.
'Best wel,' zegt Loes.
'Kijk maar!'
Ze klimt op de muur.

'Loes!' roept Meeuw.
'Dat kun je niet doen.
Daar is een huis!'

'Het huis is leeg,' zegt Loes.
'En ... in de tuin staat een put!'
Ze wipt van de muur.
Nu durft Meeuw ook.

Bij de put vraagt Meeuw: 'En nu?'
'Waar is die schat?'

Loes grijpt het touw van de put.
'Wat ga je doen?' roept Meeuw bang.
'Niks,' zegt Loes.

'Ik hou me vast.'
Ze graait in de put ...

'Geen schat,' zegt ze sip.
'Het is weer een wit vel ...
Nog een schatkaart!'

Meeuw wijst op de kaart.
'Kijk, de tocht gaat door.
Hier is de put.
En hier ... een pijl naar de school!'

Loes en Meeuw rennen naar de school.
'Er staat een stip op de kaart,' zegt Loes.
'Een stip bij de school.
En hier, en hier ... wel twaalf op een rij!'

Meeuw kijkt rond.
'Op de grond staat ook een stip!' roept hij.
'Kijk, van verf.'

Loes wijst naar de zandbak.
'Daar zie ik er weer één!'
'Dat klopt,' zegt Meeuw.
'Op de kaart staat een zandbak.'

Ze vinden stip drie, en stip vier.
Maar bij stip elf zegt Loes:
'Nu zie ik er geen meer.

Er staat een heg.'
'Dat klopt!' zegt Meeuw weer.
'Op de kaart staat ook een heg.
Kijk, je moet erdoor.
Aan die kant is stip twaalf.'

Loes kruipt door de heg.
'Nou moe!' roept ze uit.
'Wat is er?' vraagt Meeuw.
Hij kruipt ook door de heg.
'Dit is de tuin van oom Bob!' zegt Loes.

struik

Meeuw

gras

Loes

kist

stip

kier

tuin

kruis

De schat van Loek Leeuw!

'Ik snap er niks van,' zegt Meeuw.
'Bij stip twaalf staat een kruis.
Is daar de schat?
Dat kan toch niet!
In de tuin van oom Bob!'

Loes pakt Meeuw bij zijn arm.
'Kijk daar!' schreeuwt ze.
'Een kist!'

Bij een struik staat een kist.
De schat van Loek Leeuw!
Of niet ...?

'Die kist lijkt wel nieuw,' zegt Loes.
'Hoe kan dat?'
'Weet ik veel,' zegt Meeuw.
'Ik kijk erin!'

Hij stapt op de kist af.
Maar plots staat hij stil.
Hij wordt heel bleek.
Uit de kist klinkt geklop!

Loes geeft een schreeuw.
'Een spook!
Dat is Loek Leeuw!'

Meeuw slikt.
Hij staart naar de kist.
'Kijk naar die kier,' zegt hij.
'Er beweegt iets!'

Plots klinkt er een klap.
Loes gilt.
Meeuw rent weg.
Hij valt op het gras.
Oom Bob springt uit de kist!
Hij lacht heel hard.

'Oom Bob!' roept Loes boos.
'Pestkop!'

'Er is dus geen schat,' zegt Meeuw sip.
'Er is wél een schat,' lacht oom Bob.
'Kijk maar!
Ik heb hier voor Artis ... een kaart!
En nog een, en nog een!
We gaan naar het leeuwtje!
Is dat een schat, of niet?'

sterretjes bij kern 11 van Veilig leren lezen

na 31 weken leesonderwijs

1. De schat van Loek Leeuw
Monique van der Zanden en Mariella van de Beek

2. Het was Big!
Liliana Erasmus en Irma Ruifrok

3. Bloed!
Anneke Scholtens en Marijke van Veldhoven